Mother Goose in Spanish

POESÍAS de la
MADRE OCA

Mother Goose
in Spanish

TRANSLATIONS BY ALASTAIR REID
AND ANTHONY KERRIGAN

PICTURES BY BARBARA COONEY

La vieja Madre Oca,
cuando quería viajar,
se montaba en un ganso
y se echaba a volar . . . .

THOMAS Y. CROWELL COMPANY
NEW YORK

Manufactured in the United States of America.
L.C. Card 67-15401

1 2 3 4 5 6 7 8 9 10

Mother Goose in Spanish

Los tres sabios

Tres sabihondos de mucha mente
se hicieron a la mar en una fuente.
Si más grande hubiese sido el plato,
más largo hubiera sido este relato.

La pequeña Bo Pip

A la pequeña Bo Pip se le fue el rebaño
y ya no encuentra la pista.
Dejadlos tranquilos y vendrán solitos,
llevando la cola a la vista.

Bo Pip, antes de salir, se puso a dormir
y soñó que los oía balando;
pero cuando se despertó, vió que era un engaño
y que sus ovejas andaban vagando.

Cogió en firme su cayado
para salir a buscarlas;
pero cuando las encontró, se desmayó
porque habían perdido la cola.

Sucedió que un día, cuando Bo Pip andaba
en un prado de ese lugar,
encontró las colas en fila,
tendidas a secar.

Suspiró con alivio, se secó una lagrimita
y salió por el monte dando saltitos,
sabiendo que era su debercito
juntar cada cola con su corderito.

La finca de Paquito

Mira la finca de Paquito.

Mira la cebada
que se guarda en la finca de Paquito.

Mira la rata
que comió la cebada
que se guarda en la finca de Paquito.

Mira la gata
que mató a la rata
que comió la cebada
que se guarda en la finca de Paquito.

Mira el perro
que mordió a la gata
que mató a la rata
que comió la cebada
que se guarda en la finca de Paquito.

Mira la vaca de cuerno torcido
que arrojó al perro que mordió a la gata
que mató a la rata que comió la cebada
que se guarda en la finca de Paquito.

Mira a la niña tan distraída
que ordeñó a la vaca de cuerno torcido
que arrojó al perro que mordió a la gata   (etc)

Mira al hombre tan haraposo
que besó a la niña tan distraída
que ordeñó a la vaca de cuerno torcido   (etc)

Mira al cura tan aseado
que casó al hombre tan haraposo
que besó a la niña tan distraída   (etc)

Mira el gallo que canta al alba
que despertó al cura tan aseado
que casó al hombre tan haraposo   (etc)

Mira a Paquito trillando cebada,
dueño del gallo que canta al alba,
que despertó al cura tan aseado
que casó al hombre tan haraposo
que besó a la niña tan distraída
que ordeñó a la vaca de cuerno torcido
que arrojó al perro que mordió a la gata
que mató a la rata que comió la cebada
que se guarda en la finca de Paquito.

Yo tenía una noguera

Yo tenía una noguera.
 Nunca me daba nada,
sino una nuez moscada
 y una pera dorada.

La Infanta de España
 vino a mi portal,
todo por cariño
 a mi pequeño nogal.

A la cama tocan

Vamos a la cama,
dice el Dormilón.
Espera un rato,
dice el Tardón.
Pon la olla,
protesta el Gordinflón.
A comer y luego a dormir.
¡Rón, rón, rón!

Mateo, Marcos, Lucas y Juan

Mateo, Marcos, Lucas y Juan
bendicen el lecho en que me echo.
El lecho tiene cuatro ángulos
donde rondan cuatro ángeles:
uno para vigilar, uno para rezar,
y dos para mi alma elevar.

Jamti Damti

Jamti Damti se sentó en un muro.
Jamti Damti se cayó muy duro.
Ni la Guardia Civil ni la Caballería
supieron como se incorporaría.

Los tres gatitos

Los tres gatitos perdieron sus guantecitos
y se pusieron a llorar.
Mamá, mamá, tenemos que confesar
que los guantes se han perdido.

¡Qué malos gatitos, perder los guantecitos!
Por eso, no tendréis pastel.
Miau, miau, miau, miau.
¡Pues no, no tendréis pastel!

Los tres gatitos encontraron sus guantecitos
y de nuevo se pusieron a llorar.
Mamá, mamá, ya te podemos avisar
que los acabamos de encontrar.

Poneos los guantecitos, majaderos gatitos,
y os daré un pastel.
Ronrón, ronrón, ronrón, ronrón.
¡Qué rico es nuestro pastel!

Lluvia, lluvia

Lluvia, lluvia,
vete de aquí.
Vete a Escocia.
No me mojes a mí.

Juan y Juana

Juan y Juana subieron al monte
en busca de un cubo de agua;
Juan se cayó, la crisma se rompió,
y Juana se despeñó en la zanja.

Juan se levantó y corrió,
huyendo a la propia casa
de la Vieja Pinta que le vendó
con vinagre y papel de estraza.

Al llegar, Juana se hartó de risa,
viendo al enyesado de papel envinagrado;
con lo cual la vieja le pegó sin prisa
por reírse de la desgracia del prado.

Entonces, Juan se echó a reir
al ver a Juana llorando;
pero el llanto no duró, y Juana le invitó
a jugar con ella, bailando.

Tomasito Tinto

Tomasito Tinto, pescador de España,
vivía en su chiquita cabaña,
atrapando peces como un ladrón
de las aguas de su patrón.

Los tres ratones ciegos

¡Mira cómo corren, los tres ratones ciegos!
Que corren y que corren tras la mujer del granjero
que les corta el rabo con cuchillo de carnicero.
¿Has visto en tu vida tales majaderos?
¡Los tres ratones ciegos, los tres ratones ciegos!

¡Limones, naranjas!

¡Limones, naranjas!
En toda España,
campanas de santos
repican sus cantos.

Uno, dos, tres,
canta Santa Inés.

Venid a la mesa,
canta Santa Teresa.

Fruta y vino,
canta San Serafino.

Tráiganos pan,
canta San Juan.

A todos alegría,
canta Santa Sofía.

Benditos los pobres,
canta San Robles.

Cuidado con el diablo,
canta San Pablo.

Vámonos a la cama para dormir,
y luego a la tumba para morir.

Así a caballo

Así a caballo montan las damas,
tatará, tatará, tatará.

Así cabalgan los caballeros,
patará, patará, patará.

Así montan los campesinos,
tintirí, tintirí, tintirí.

A veces saltan la barrera.
A veces chocan con la tierra.

¡Dios mío! ¿qué habrá pasado?

¡Dios mío! ¿qué habrá pasado?
¡Oh, Dios mío! ¿qué habrá ocurrido?
¡Dios mío! ¿qué habrá pasado,
que de la feria no ha vuelto mi Juan?

Y me había prometido un regalo a mi gusto,
y, por un beso, juró que no me daría un susto;
me había prometido un montón de cintillos
para adornar mi cabello sencillo.

¡Din, don, dan!

¡Din, don, dan!
La gatita dió en el flan.
¿Quién la metió?
La María de la O.
¿Quién la sacó?
La Marucha Capó.
¡Qué mala niña esa!
¡Qué cosa tan traviesa!
¡Tirar la gatita maja
que cazaba ratas en la paja!

La señorita Manguito

La señorita Manguito
se sentó en su moñito
a saborear su horchata de chufa.

Un gran alacrán
bajó de un desván
y amargó a la Manguito su afán.

La bruja de España

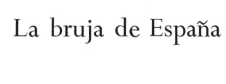

Érase una bruja
que moraba en una montaña.
Si aún no se ha ido,
todavía ocupa su montaña,
la famosa bruja de España.

El alegre molinero

Érase un alegre molinero
que vivía bajo un alero
y cantaba noche y día
como un jilguero.
Su canción era siempre así:
"Nadie, nadie cuida de mí;
pero ni el mundo ni mi vecino
me importan un pepino."

Salomón Grúnez

Salomón Grúnez,
nacido un lunes,
bautizado el martes,
casado el miércoles,
se enfermó el jueves,
empeoró el viernes,
se murió el sábado,
fue enterrado el domingo:
ésta es la historia
de Salomón Grúnez.

A la feria, a la feria

Vamos a la feria
un cerdito a comprar.
Ahora lo llevamos
a casa a cuidar.

Vamos a la feria
un gran puerco a vender.
¡Otra vez a casa
para bien comer!

Babilonia

¿Cuántas leguas a Babilonia?
Tres veintenas y diez.
¿Se podrá llegar con la luz del crepúsculo?
Sí, y se podrá volver también.
Si tus talones son ligeros,
podrás llegar a la luz del lucero.

About the Translators

ALASTAIR REID, born in Scotland, attended the University of St. Andrews in that country. He now lives in Palma de Mallorca, Spain. Mr. Reid translates for a number of Spanish and South American writers and has written articles for the *New Yorker* and *Encounter*.

ANTHONY KERRIGAN was born in Winchester, Massachusetts, and brought up in Cuba. He now divides his time between two homes, one in Dublin and the other in Palma de Mallorca, Spain, with his wife and four children. While at the University of California, Berkeley, Mr. Kerrigan received a grant from the American Council of Learned Societies for Sino-Japanese studies.

About the Illustrator

Born in Brooklyn, New York, BARBARA COONEY grew up on Long Island and in Maine. She received her B.A. degree from Smith College, and was a member of the WAC during World War II. In 1958 Miss Cooney received the Caldecott Medal for her picture book *Chanticleer and the Fox*. Now a very well-known and much-loved illustrator, Miss Cooney lives in a small Massachusetts town with her husband, a physician, and her children.